Mae'r llyfr hwn yn eiddo i'r anhygoel:

This book belongs to the amazing:

....

RILY

I Aiden, Annie ac Eli

Cyhoeddwyd gan Rily Publications Ltd,
Blwch Post 257, Caerffili CF83 9FL

Hawlfraint yr addasiad © 2019 Rily Publications Ltd

Addasiad Cymraeg gan Elin Meek

Cyhoeddwyd yn wreiddiol yn Saesneg yn 2019 dan y teitl *Amazing*
gan Hodder Children's Books. Argraffnod o
Hachette Children's Group, rhan o Hodder and Stoughton.

Hawlfraint gwreiddiol © Steve Antony 2019

Mae Steve Antony wedi datgan yr hawl i gael ei gydnabod
fel awdur a darlunydd y gwaith hwn, yn unol â
Deddf Hawlfraint, Dyluniadau a Phatentau 1988.

ISBN 978-1-84967-456-0

Argraffwyd yn China

www.rily.co.uk

ANHYGOEL
AMAZING

Steve Antony

Addasiad Elin Meek

Mae gan rai plant gath.
Mae gan rai plant gi.
Draig sydd gen i.
Ei henw yw . . .

Some children have cats.
Some children have dogs.
I have a dragon.
Her name is . . .

Dysgais Sibo sut i hedfan.

I taught Zibbo how to fly.

Dysgodd Sibo fi sut i . . .

Zibbo taught me how to . . .

Ry'n ni'n gwneud popeth gyda'n gilydd, fi a Sibo . . .

We do everything together, Zibbo and me . . .

Ry'n ni'n chwerthin.

We laugh.

Ry'n ni'n canu.

We sing.

Ry'n ni'n dysgu.

We learn.

Ry'n ni'n hwylio.

We sail.

Ry'n ni'n dawnsio.

We dance.

Ry'n ni'n bwyta.

We snack.

Ry'n ni'n arlunio.

We draw.

Ry'n ni'n cysgu.

We snooze.

Wahwwwwwwwwwww

Ac mae fy ffrindiau i gyd yn dwlu ar Sibo hefyd.

And all my friends love Zibbo too.

Ry'n ni'n mwynhau chwarae cuddio.

They love to play hide-and-seek with her.

Dyma fi'n dod! Here I come!

Trueni ei bod hi mor dda!

I wish she weren't so good!

Dyna ti! Found you!

A phêl-fasged hefyd.
We like to play basketball too.

Dydy hi ddim cystal
am wneud hynny!
She's not quite so good at that!

Ond yn fwy na dim, mae Sibo a fi'n hoffi parti.

But, most of all, Zibbo and I love going to parties.

Ac mae Sibo'n mwynhau partïon cymaint . . .

In fact, Zibbo loves parties so much . . .

weithiau mae hi'n mynd . . .

she sometimes gets a little too . . .

dros ben llestri!
over excited!

Efallai fod Sibo yn wahanol
Zibbo may be different,

ond hi yw FY FFRIND GORAU.
but she is MY BEST FRIEND.

Pan fyddwn ni gyda'n gilydd . . .
When we're together . . .

dwi'n gwybod bod UNRHYW BETH yn bosibl,
I know that ANYTHING is possible.

oherwydd bod Sibo yn . . . .
Because Zibbo is . . . .

ANHYGOEL

AMAZING!

Yn union fel mae hi.

Just the way she is.

Helo

Mae'r llyfr hwn yn rhan o'r rhaglen Pori Drwy Stori.

Mae Pori Drwy Stori'n ysbrydoli cariad at lyfrau, straeon a rhigymau ac mae'n cefnogi plant i ddatblygu sgiliau siarad, gwrando a rhifedd. Mae eich plentyn yn cymryd rhan yn y rhaglen Pori Drwy Stori newydd ar gyfer plant y Meithrin. Gobeithiwn y byddwch chi a'ch plentyn yn mwynhau'r llyfr hwn a'r adnoddau hwyliog sy'n dod gydag ef.

Pan fydd eich plentyn yn y Derbyn, byddwch chi hefyd yn derbyn adnoddau Pori Drwy Stori hwyliog, rhad ac am ddim i'w rhannu a'u mwynhau drwy gydol y flwyddyn oddi wrth ysgol eich plentyn.

Caiff Pori Drwy Stori ei ddarparu gan BookTrust Cymru a'i ariannu gan Lywodraeth Cymru.

Hello

This book is part of the Pori Drwy Stori programme.

Pori Drwy Stori inspires a love of books, stories and rhymes and supports children to develop speaking, listening and numeracy skills. Your child is taking part in the new Pori Drwy Stori programme for children in Nursery. We hope that you and your child enjoy this book and the fun resources that come with it.

When your child is in Reception, you will also have fun, free Pori Drwy Stori resources to share and enjoy throughout the year from your child's school.

Pori Drwy Stori is delivered by BookTrust Cymru and funded by the Welsh Government.